C000037308

SV

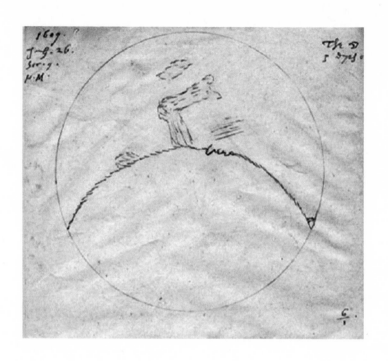

Durs Grünbein

# Cyrano

oder

# Die Rückkehr vom Mond

Suhrkamp

Erste Auflage 2014
© Suhrkamp Verlag Berlin 2014
Alle Rechte vorbehalten, insbesondere das der Übersetzung,
des öffentlichen Vortrags sowie der Übertragung
durch Rundfunk und Fernsehen, auch einzelner Teile.
Kein Teil des Werkes darf in irgendeiner Form
(durch Fotografie, Mikrofilm oder andere Verfahren)
ohne schriftliche Genehmigung des Verlages reproduziert
oder unter Verwendung elektronischer Systeme
verarbeitet, vervielfältigt oder verbreitet werden.
Satz: Satz-Offizin Hümmer GmbH, Waldbüttelbrunn
Druck: Druckhaus Nomos, Sinzheim
Printed in Germany
ISBN 978-3-518-42415-5

Für EVA

»Wir träumen von Reisen durch das Weltall.
Ist denn das Weltall nicht in uns?« *Novalis*

Cyrano
oder Die Rückkehr vom Mond

## 1

## Riccioli

Er ist zurückgekehrt. Jemand hat ihn gesehen
Hinter den Hangars, wo die Fallschirmseide
Im Herbstwind raschelt, ein Ballon sich bauscht.

Keine großen Sprünge macht er nun mehr,
Spielt nicht den Sturzgeborenen, das Mondkänguruh.
Getrocknet sind ihm die Freudentränen.

Doch hört man ihn atmen, konzentriert wie nie.
Er singt uns die Hymne, sein Wiederkehrlied.
Und die Erdenluft sagt ihm: es gibt nur sie.

# *Tesauro*

Vorm Mond stehn Wolken, bis ein Wind aufkommt,
Der bläst sie fort und putzt die Scheibe blank,
Das Blech, gesandstrahlt wie vom Gobisand.

Und schon das Kind schaut auf und denkt
Still sich sein Teil, das anders ist als das der anderen:
Im Zentrum jeder – keiner hält sich für verrückt.

So variieren sie, was niemals feststeht, nach dem Maß
Von Erde, Mond und glänzendem Betrachterauge,
Zufällig aufgestellt in solcher Trigonometrie.

Wer kann durchs Fernrohr der Metaphern sehen,
In dem das Ferne nah – das Nächste fern erscheint,
Kausalitäten sich verknoten und Ereignisse?

Wie vieles übereinstimmt im Verschiedensein.

## Euclides

Und auch er kam zurückgekrochen. Der Krebs
Suchte den Ausgangspunkt wie am Meeresstrand,
Im Schlepptau die Träume, den Technikschrott.

Raumfähren barsten in tausende Einzelteile
Vor den Küsten Amerikas, über den Sümpfen,
Und machten im Trümmerregen den Fortschritt wett.

*Ooohh-kaaay. / Looks like we've got a lotta wind*
*Here today. / Feel that mother go.*
*Roger, go at throttle up.*
*Uh oh …*

Ein kranker Mond blieb als Zeuge. Die Teleskope
Waren Chamäleonaugen, die ins Überall äugten.
Soviel Licht lag im Schatten der Sonnenzeiger.

War der Mensch sein Versagen? Was zählte
Sein Schritt über alle Grenzen hinaus, alle Sinne?
Jeder Tag war ein Novum, und es blieb alle Zeit,

Bis wieder Neptun verblaßte im Wassermann,
Die Sonne am Tiefpunkt stand ihrer Jahresbahn
Und morgens der astronomische Winter begann.

# Cassini

Für Wolfgang Kaußen

Stumpf sind die Wolken, sagt sie. Und der Mond
Hat Mumps seit gestern abend. Was ist los?
Der alte Pfannekuchen strahlt so ungewohnt.

Im Park die Hunde bellen lauter, und die Stadt
Erscheint wie aufgedreht: Sie machen Menschen.
Ein Tanker kentert, quergestellt, im Kattegat.

Im Südpazifik bebt das Meer. Ein Archipel
Rauscht in die Tiefe, wie getroffen von Torpedos.
Rentiere gehen, Antilopen herdenweise fehl.

In allen Kinohöhlen sitzen Träumer. Jeder übt
Das Staunen dort im Abglanz des Planeten.
Wo sonst zeigt sich die Elegie der Erde ungetrübt?

Wer schaut nachts auf? Die Astronomen
Und die Verliebten schielen innig nach dem Ding.
Der Rest lebt hinterm Mond. Ein gutes Omen?

## 2

## Isidorus

Bei Neumond saß er lange in der Kemenate
An seinem Schreibpult, reisefertig, in der Robe,
Und ließ sich von den Bücherrücken still beraten.

Die Feder kratzte über das Papier. Er war allein
In seiner Spiegelwelt mit den Atlanten, Globen –
Unendlich frei, ein freier Kopf im Kerzenschein.

Vorbei das Dandy-Leben. Der Privatmann sprang
Wie nachts die Flöhe interplanetarisch her und hin,
Bis alles mondhaft aufgerundet ineinanderklang.

Er fühlte sich der Schwerkraft ledig, startbereit
In höhere Regionen. Strahlen zogen ihn hinauf
In eine äußere, neuweltliche Unendlichkeit –

Die sich im Innern wiederfand als Blutkreislauf.
Ein großes Tier war dieses All, von Stern zu Made
Derselbe Zwischenraum. Man konnte in ihm baden.

# Grimaldi

Unstern, Unstern? – Aber er lebte hier gern
Unter den Rechten und Schlechten, den Fechtern,
Die vorwärtsdrängten mit all ihren Schwächen.

Vorwärts und himmelwärts war nicht das gleiche.
Sie überschätzten sich gern, im Blick die fernen
Vanilleländer und Goldstaubreiche.

Er mochte die Lügner, die naiven Betrüger,
Die unterm Galgen noch lachten, im Mondlicht
Dann schaukelten: Hinterher war man klüger.

Der Mensch von hinten: An manchem Domportal
Stand er im Regen, den offenen Rücken in Stein
Von Würmern zerwühlt, ein Geschöpf der Qual.

Wußte er von der Vielheit der Welten? Wie Läuse
Den Wald auf dem Kopf eines Bettlers bewohnen,
Wirbelte mehr als nur ein Volk um die Sonne.

## Carnot

Einmal sah er den Mond über Notre-Dame.
Das entschied sein Leben. Von Stund an brachte
Ein Sog ihn vom Weg ab. Die Gezeiten des Blutes

Rissen ihn fort über Meere in ein höheres Blau.
In Traumgeschwindigkeit ließ er das Himmelbett
Hinter sich, sein Jahrhundert und all seine Leser.

Da unten harrten sie auf Europas Schlössern,
In den *studiolos*, jeder vor seinem Teleskop.
Doch keiner sah ihn, den kosmischen Kerl im Korb.

## Pitiscus

Sein erster Gruß galt Toulouse, seinen Türmen.
Mondlicht stand in den Pfützen. Böse funkelten
Die Katzenköpfe in den Gassen der Stadt –

Ein Nest voller Inquisitoren, romgetreues Gewürm.
Hier schrie Vanini im Feuer. Dies war die dunkle
Seite der Erde. Die Kanzel hielt eine Ratte.

Hier fiel er, von höchster Warte, ins tiefste Loch,
Von Obskuranten verfolgt: der Hexer vom Mond,
Einer, der selten klagte, nie zu Kreuze kroch.

## Cyrano

Und dann kam *er* mit Neuigkeiten vom Mond,
Clown, den jeder gern zum Freund gehabt hätte.
Denn sein Unsinn war unbedingt – lustbetont.

Und das will manches heißen, seit in den Betten
Die Träumer sich dem Futur zuwenden, aus dem
Wenig folgt für sie selbst – kein Pakt mit dem Blau.

Sein Start aus Kanadas Wäldern war unbequem.
Ein Holzschnitt war im *Orbis pictus* unser Mond.
Im Licht der Zukunft sieht kein Leben rosig aus.

## Montgolfier

Da war die Statue im Park: Ihr dunkler Bronzeton
Fing im Vorübergehen das Mondlicht ein.
Der schwarze Kerl, das könnte er gewesen sein.

Ein Standbild glich dem andern in der Regennacht,
Wie Kinder, konzentriert auf ihren Luftballon,
Eins sind und schweben auf den Zehen fort.

Professor, Pionier, Poet: An alle war gedacht,
Die Komponisten, Philosophen, nur an den einen nicht.
Schlafwandler durch die Zeiten: Er hatte keinen Ort.

Man sah ihn fliegen aus den Augenwinkeln, reiten
Auf einem Zebra, diesen Typen, mehr als sonderbar.
»Gedenke, frei zu leben«, rief er. Wer so spricht,

Steigt in den Äther auf, entschwebt dem Erdgezeter.

Der Mond verläßt uns Richtung All. Mit jedem Jahr
Nimmt die Entfernung zu um ein paar Zentimeter.

## Phocylides

Jeder Apfel ist ein kleines Weltall für sich –
Schrieb Cyrano nach seiner Rückkehr vom Mond,
Der Mann mit der riesigen, der richtigen Nase.

Er hatte den Riecher für Welten, groß oder klein.
Eine Zwiebel zum Beispiel: Astrolabium aus Schalen,
War ihm mehr als die Knolle, die Tränen treibt.

Ptolemäus' Scheibe – das war zu gering gedacht.
Alles hängt davon ab, wieviel Realität
Einer vertragen kann. Wie klein ist das Große?

## 3

## Mirbel

Der Mann im Mond hat Beine, groß wie Meere.
Das rechte ist das Nektarmeer, das linke, dicke,
Das Meer der Fruchtbarkeit, gewaltig aufgeschwemmt

Im Zustand der Thrombose. Dieser Golem hinkt.
Langrenus sitzt ihm als Furunkel auf dem Hinkefuß –
Ein Krater, sichtbar schon mit bloßem Auge, funkelnd.

Sein Torso ist das Meer der Ruhe, und sein Kopf
Das Meer der Heiterkeit, ein schwankender Ballon.
So klebt er fest, gebunden an den Himmelskörper.

## Macrobius

Doch wo war Kain geblieben? Jeder Christ
In den Provinzen, Königreichen des zerfetzten
Europa kannte ihn: Er war der Mann im Mond.

Vorm Schlaf das letzte war ein Wiegenlied. Du bist
Als Kind die Angst vorm Beelzebub gewohnt.
Und Gut und Böse sind wie Territorien besetzt.

Was einer bloßen Auges sah, war leicht Betrug.
Die Fliege, um die Kerze kreiselnd, monoton,
Kain, der sein Reisigbündel auf der Schulter trug.

## Hilbert

Gevatter Mond hieß er, solange ihn Gesang,
Gebet ins Herz schloß und das Wiegenlied zur Nacht
In jeder Kleinstadt, auf dem Land, in enger Kammer.

Mit Blick auf ihn ging Leben den gewohnten Gang
Und war ein Kreislauf bis zuletzt: Es ist vollbracht.
Ein runder Trost in einer Welt voll Schlachten, Jammer.

Doch dann kam er und mischte diesen Laden auf
In Sturm und Drang. Der Opponent, der Anti-Ignorant,
Der Augenmensch. Kein Krater ist nach ihm benannt.

## Ibn Firnas

Das war der Orient des Inneren, wo alle Bilder
Dem Mondstrahl folgten, der sie traumwärts trug
In einem weiten Bogen, der das Ich umschrieb.

Die Sterne rückten näher so – zum Astropark
Geordnet, wo der Wanderer, beim Schopf
Gepackt, sich wie zu Hause fühlte, eingewohnt.

Alles war übersichtlich: Weltall, Erde, Mensch –
Wie in den Seifenblasen, die das Kind abschlug.
Und die Sekunde war am Baum der jüngste Trieb.

Ein Blitz lief abwärts durch das Rückenmark.
Chimären formten sich aus jedem Wassertropfen –
Und der Skorpion umarmte still den Mond.

## Poincaré

Und auch das war der Mond: ein kalter Koloß,
Breit vor den Sternen aufmarschierend, kadaverstarr,
Bevor er verblich in der nautischen Dämmerung.

Mancher verfluchte ihn heimlich auf seinem Posten
An der Nordsternwarte, der Südsternwarte.
Und der Reisbauer sah den fetten Bonzen in ihm.

Du bist ihm verfallen. Was hat dein Erschrecken
Vorm Fatalismus passiver Massen mit ihm zu tun?
Den Mond suchen heißt: Weiß nicht, wie mir geschieht.

## Sosigenes

Am Toten Meer war sie am Nullpunkt, diese Erde,
Als Mondlandschaft, die keiner lang erträgt –
Es sei denn, als Asket, Apostel oder Gottessohn.

War das der Grund, aus dem die Religionen wuchsen?
Geographie als Härtetest, dies allgemeine *Ach*
Der Trockenhügel, Wadis und der Qumran-Höhlen.

Natur, die aufstöhnt an den Grenzen, wo sich alles
Ins Gegenteil verkehrt: Aus Wasser wird hier Staub,
Aus rauhem Meergrund Völkerleben radikalster Art.

## Teisserenc

Spur im Morast, erstmals lesbar. Wann war das?
*Homo ergaster*, der Salzwüsten-Jäger
Aus dem Süden Afrikas war der erste Deuter

Aus der Reihe der Zweibeiner-Ahnen. Prüfend
Schaute er auf zum Mond, erforschte die Erde.
Mit ihm brach der Bann, und es begann das Ballett.

Er lernte den Regen begreifen, die Vogelzüge,
Den Turnus der Jahreszeiten – lernte und lehrte
Das Rund, ab- und zunehmend, die alte Konstante.

## Copernicus

Und Adam und Eva? Natürlich kam es vom Mond,
Das zitternde Pärchen. Sein Exil war die Erde.
Hier waren sie nackt, verloren im Sündenkalkül.

Denk an die vielen Spielarten des Fliegens
In horizontaler Lage, die Haut entblößt, flügellos,
Mondhaft gerundet Busen, Schultern und Mund.

Nach all den Mysterien, fragt keiner: Was blieb
Von den tausend Definitionen des Mondes?
Die eine, sagt sie. Und auch er sagt: die eine.

# Fermi


Es gab den Monat, *mensis — mani, mén* und *mon*.
So liest man bei den Brüdern: sie sind urverwandt.
Da war das *ma*, die alte Wurzel: messen, messen.

Anfang des Zeitkalküls am Nil: ein erster Zyklus,
Der sich durch Augenschein ergab, scharfe Berechnung,
Auf der die Felderwirtschaft fußte, Saat und Staat.

Woher kam *luna*, diese Kugel, feminin? Vom Mond
Als Mann sprach man erst im Barock. So trocken
War keine Frau, daß sie nicht kreißte wie gewohnt.

*Novalis*


Es war der weiße Glanz, ein Perlmuttschimmer,
Der ihm den Namen gab bei Juden und Etruskern,
Lang vor den Mythennächten bis in unsern Tag.

Er glänzt noch immer so – auch wenn die Namen
Im Dunst verblassen und am Boden kriechen,
Wo Ironie den Vorhang vor die Mondnacht zieht.

Er scheint wie wir. Sein milchiges Trompe-l'œil
Öffnet am Himmel Tunnel in den Meeresgrund,
Auf dem die Sterne leuchten wie Medusen.

## Sasserides

Licht, Licht: Was heißt es denn, zu empfangen
Für sie, die selbst empfängt von höchster Stelle –
Zentrale Erde, singuläre Tränenquelle?

Hier sieht der Himmel sich gefeiert, im Verlangen,
In goldnen Kuppeln von Moschee und Synagoge,
Tausenden Glockentürmen, um die Schwalben flogen.

Und Montag war der Tag des Sinkens, Schwelle
Zu einem Reich der Arbeit. Zwielicht, Freiheit, Fall.
Der Mond verfolgt uns unter Bergen von Metall.

## Celsius

Mond aus Beton – so sahen die Römer ihn schon,
Die Kuppelbauer, die Städtegründer am Rand
Ihres dehnbaren Weltreichs in kalter Opposition.

Der eine sagt es dem anderen weiter: Hüte dich
Vor der Sichel. Sie mäht dir die Himmel wie Gras.
Gefährlich war es, wenn er zwischen den Pinien stand

Und hielt auf den sieben Hügeln sein höchstes Gericht.
Dann folgten Revolutionen, ein sinnloser Aderlaß –
Bis wieder Stupor herrschte auf dem goldenen Thron.

## Oenopides

Nicht eine Kokosnuß treibt auf dem Humboldt-Meer.
Kein Fisch springt auf aus den staubigen Ebenen
Der Kraterseen vorm pechschwarzen Horizont.

Ein Stürmischer Ozean ist da, *Mare nectaris,*
Ein See der Träume, aber kein Tropfen Wasser.
Glasperlen, aufgefischt von den Männern in Weiß,

Sind die einzige Probe. Alles sonst bleibt Gerücht:
Die Ressourcen im Mondkern, das Eis an den Polen.
Niemand wird baden je, segeln im Moskauer Meer.

## Philolaos

Optimist, woran mißt sich dein Optimum?
Wo Humor doch meint, du bist über beide Ohren
Verliebt in die Welt, wie sie ist, moralisch krumm –

Im Winter Schwimmbad, sommers ein Planetarium.
Wie abstrakt jedes Wort, absolut, autonom,
Und dann doch konkret. Du, unter Sternen geboren,

Die lange erloschen sind, antiker als Rom,
Oder Riad, Brasilia, so geschwätzig wie stumm,
Nimmst den Tag, wie er kommt, die Fülle der Foren.

## Marius

Was war die Frage, mit den Wünschen aufgespart
Für die lunare Audienz? Was reizte ihn,
Tief in urbanen Schluchten, an der Überfahrt?

Verstörend war der Einfluß – und es riß ihn hin
Zu allen Phasen, Proto-Stadien. Nicht nur dann,
Wenn er vollendet, Urbild aller Rundung – schien.

Fern von Ägypten, allerorts, wo nun in *drinks*
Der Tag sich löste und die Nacht zerrann,
Sah er den Mond, vergaß den Flugsand um die Sphinx.

## Delambre

Ob auch er sie gekannt hat, die Unverhüllte –
Insomnia, die Nachtdiseuse, felskahle Alte?
Die mondäne Frau rekrutiert ihre nächtlichen Heere.

Somnambule sind selten. Unter den Kindern
Finden sich Meisterschüler. Sie verlernen es bald.
Wer weiß schon von Mondsucht in den Apotheken?

Doch Schlaflose gibt es in Massen. Stündlich
Wächst die Zahl derer, die Erde aufsaugt nachts.
Erde, kein Ruheplatz mehr für die Zeitpiloten.

*Leibniz*


Schneewolken bargen ihn, wenn im Gebirge
Musik das Thema Mond anschlug im letzten Satz.
Dort ging er, der Romantiker, ins Unbewußte,

Ging da und variierte, Satz für Satz, den Mond,
Bis von ihm nur der Laut blieb, mundgeblasen, Glas.
Durch viele Sprachen lief dasselbe Wispern

Der Wanderer von Berg zu Tal. Der stille Schein
Drang durch die Wolken, gab als Klang den Sätzen
Die Richtung: Dichtung – Imperator *de la lune*.

## Zeno

So vieles fuhr ihm durch den Kopf, synchron.
War er ein Kind des Überflusses, Narr der Parallelen
Von All und Alphabet? Er mochte diesen hellen Ton,

Den die Vokale aus der Landschaft gruben.
Den Schwindel, daß sich Worte immerfort verfehlen,
Er liebte es: Dies U in Uruguay, Urahne, Ulalume.

Ein Glücksatlas war ihm die Sprache, und verkatert
Schluckte er nachts den Mond, die Pille Neuigkeit.
Milliarden Tonnen Wasser lagern in den Kratern.

## Rhaeticus

Mond hält uns fest. Es gibt, wenn wir träumen,
Motive, die wandern, und solche, die ankern.
Er war der Hafen unerfüllter Wünsche – gestern,

Das große Paradoxon: ein konvexes Becken.
Von ihm hingen die Stimmungen ab, er regulierte
Mit den Wasserständen die Gezeiten der Psyche.

Ein Riesenmagnet, doch er bleibt nun links liegen:
Die Konvois ins All ziehen vorüber an ihm.
Kein alter Lotse kommt uns, kein Portwein von dort.

## Orontius

Der *See des Schlafs* war so ein Ort. Kein Atlas
Verzeichnet ihn, ein Sonnenpfad führt zu ihm hin.
Es gibt ihn wie den Weißen Nil, den Biwa-See.

Sein Rascheln schläfert ein. Es ist Musik,
Die über Schläfen streicht – als Sommerwind.
Die Augen werden schmal dort. In den Ohren

Fängt sich Geruch, verwirrt den Sinn
Für jedes weitere Utopia. Derselbe Blick
Erfaßt den Wüstensand und sieht schon Ninive.

# Oresme

Don Carlo Gesualdo, Fürst von Venosa

Und einer sammelte die Stimmen in der Nacht
Auf seinem Schloß, die sublunarischen Dämonen.
Er sperrte sie in Noten ein − und ließ sie frei.

Das war, als Bruno grub an seinem Himmelsschacht,
Wofür sie ihn verbrannten, um dieselbe Zeit.
Noch heute fangen seine Seufzer sich als Schrei

In Roms, Neapels Straßen in den Mikrophonen.
Und jeder Schmerz zieht Fäden durch das All,
Von denen mancher aufblitzt in der Spindel Madrigal.

## Langrenus

Im Traum herrscht Mondlicht, weiß der Philosoph
Und spricht sie aus, die Differenz zum Tage.
Geschichte, Ich – in ihm sind sie gerundet

Wie in verkehrter Form die Antwort und die Frage.
Vom Vorhang tropft es auf die Laken und hält Hof
Vorm Kühlschrank, im Geschirr. Wir sind gestundet.

War seine Botschaft, kaum zu fassen, Cyrano.
*Ein leichtes Spiel war dieses Sein … Es sog mich ein.*
In Bahnhof, Bistro und Klosett, auf allen Straßen. Wo?

# *Thales*

Und Thales starb beim Rechnen. Nicht das Ungeschick:
Das Kalkulieren der Ekliptik war sein Tod.
Er stürzte in den Brunnen, Mägde lachten. Ein Gerücht –

Nicht nachprüfbar. Der Stoff, aus dem Legenden sind.
Es gibt den Ort noch, Milet. Doch am Brunnen
Steht nun ein Müllcontainer. Nur die Sternennacht

Scheint noch dieselbe, über Trümmern blaues Licht
Aus den versiegten Quellen, unterwegs zu uns.
Mond ist da, Landschaft, fahles Monochrom.

## Kepler

Dann kam ein Dämon aus Levania, der zog
Im Kegelschatten der Eklipse – alles schlief,
In jedem Jahr sich einen Träumer mit nach oben.

Er war es, der die Regenbögen bog,
Die See zum Rückzug von den Wattenküsten rief,
Bereit, sich um den Globus spukhaft auszutoben.

Die so Erwählten reisten allwärts auf dem Strahl
Des Lichts, das durch die Zeiten fällt und blendet.
Sie wurden Eigenbrötler, Pioniere, so genial

Wie solitär. Und manches Herz blieb monogam.
Für den Poeten war der Auftrag früh beendet,
Wenn ihn Levanias Abgesandter zu sich nahm.

# Pythagoras

*Jeder für sich ist ein All.* – Das hallt und hallt
Durch die Nacht, separat. Ein beseeltes Modell:
Der Himmel noch einmal, die Sterne, der Mond.

Der Globus in Händen ist ein Schädel, perfekt
Gerundet, mit der Kopfhaut in klinischen Farben.
Das große Gewölbe steckt geschlossen im kleinen.

Was ist Innen, was Außen? – Schwebt das Gehirn
Da draußen, ein Universum? Gehört es der Erde,
Humanum und Humus? *Jeder für sich ist ein All.*

## Diophantus

Tritt heraus aus der Höhle des Monologisten.
Mußt nicht, mit allen redend, allen gefallen.
Es genügt zu verhandeln, spaßeshalber um Glas.

Tritt heraus aus der Zeit, schüttle die Tropfen –
Sekunden ab, Ikarus mit zerzaustem Gefieder,
Du komischer Vogel du, Uhu im Ungemach.

Uruguay liegt so nah dir, so fern wie Ur.
Ob es dort Glas gab? Es gibt Quartz und Sand
Auf der dunklen Seite des Mondes, der hellen.

## Avogadro

Drei Ströme fließen da zusammen. Phantasie,
Gedächtnis, Urteilskraft – zu einer Flußlandschaft,
Die vor ihm wenige nur kannten, nachher alle.

Pascal war einer, der dort ging und Kröten fing,
Von den Bonmots der Papageien ungestört.
Die Echos an den Ufern, tausendfach gehört –

Das *peri, peri, kata* der antiken Wortehüter, Granden,
Entging ihm. Er sah Schwingungen, nicht Dinge.
Gewiß, bald würden sie dort landen.

# Archytas

Einer war vor euch da, Mann. Auf Ikarusflügeln
Stieg er zum Himmel auf, besuchte Selene,
Die schon lange litt unterm Philosophengeschwätz.

In alles mischten die Brüder sich ein, stritten
Darüber, wie füllig sie war, warum in Hälften geteilt.
Eine Göttin, pah! Wer ist dieses trockene Hörnchen?

Bewohnt, sagten manche, ein Spiegel des Meeres,
Die andern: eine Lügnerin. Ihr Licht sei gestohlen.
Eine glühende Masse, hieß es später – aus Stein.

## Ptolemaeus

Sie aber schämte sich, wenn sie sah, was sie sah:
Die Denker der Welt beim Ehebruch nachts, Diebe
Fremder Ideen, Demagogen auf frischer Tat.

Schillernde Glatzen auf den Plätzen Athens, Bärte,
In denen der Fischsud klebte, zahnlose Redner
In den Wandelgängen der Stoa, der Akademie.

Sie ist die Kronzeugin. Man muß sie nur fragen.
Sie könnte erzählen von verlogenen Ontologen,
Von Kynikern, an ihrer kritischen Kotze erstickt.

## Hirayama

Am Sakurata-Tor ein Zwischenfall. Ein Weiser
Stand dort und sah hinab vom Paß. Das klare Wasser
Möge nach Osten fließen, Westen – sein Gebet.

Darauf begrub er still ein Buddha-Bildnis.
Die Ströme fließen seither, bringen Fruchtbarkeit.
Und wenn der Mond sich darin spiegelt, lacht der Fuchs.

Ein Schrein bezeugt die Prophezeiung. Und in Edo
Weiß jeder Samurai, was daraus folgte für das Land.
Das Schwert teilt ihn. Die Hälften: Gestern, Heute.

**5**

## Moltke

Was ist der Mond? Fragt sich ein früher Grieche.
Ein dunkles Licht, das um die Erde wandert,
Ein zyklisches Oxymoron in Rotation.

Die Völker haben ihn verzaubert. Im Barock
War er die schiefe Perle, das Idol der Potentaten.
Dann trat ein Mann ans Teleskop und sah ihn nackt

Zum ersten Mal, bestürzend nah, in allen Phasen.
Wie freigeblasen war die Stirn, und auf ihr wuchsen
Von nun an Hörner, Altersflecken, Warzen.

# Kant

Die Relationen sind der dauernde Skandal.
Ein Krater, groß wie Böhmen, schlägt noch jeden
Vulkan auf Erden. Ätna, Krakatau, Hverfjall –

Winzige Pusteln, betrachtet durch Frau Lunas Brille,
Mitesser im verschwitzten Antlitz eines Knaben.
Die so gefürchteten, glutspuckenden Ventile

Erfaßt kein Teleskop im Mond. Ihr Lavafluß
Verliert sich zwischen Ozeanen – schwarzer Schaum.
Was mißt Vesuv an seiner Öffnung in Pariser Fuß?

# Hipparchus

»50 000 Meilen entfernt liegt in der Tiefe
des Äthers die Insel *Levania*.«

Johannes Kepler

Er saß am Zeichentisch und stach, präzis wie keiner,
Den Mond in Kupfer. Und er fragte sich, wie weit
Es von den Flecken Wachs rings um die Kerze

Bis zu den Ringen auf der Kugel dort im Fernrohr war.
Entfernung war ein Wort wie Mexico, Zipangu –
Die Gold- und Silberreiche, die sie seit Columbus

Auf allen Meeren, nach den Sternen segelnd, suchten.
Sein Mond der Kindheit schien ihm größer. Kleiner
Mit jedem Jahr, entfernter, jener von Versailles.

# *Tycho*

Tycho tritt aus dem Schatten. Der mondene Tag
Fängt mit Enthüllungen an: nacktes Gestein,
Eine Landschaft, von Meteoriten zerhackt.

Das ist das Eine – reines, anorganisches Sein.
So viele Schlaglöcher, Krater, stumme Vulkane,
Und kein Empedokles, der den Weg hinab bahnt.

Licht fällt auf lila Gestein, das für keinen glänzt
Im Wechsel der Jahreszeiten – im Niemandsland.
Kosmisches Koma, Geröll ohne Transzendenz.

Der Tag geht auf über Tychos Kraterrand.
Das Meer legt Spitzensaum um die Küsten – da
Wird es Nacht, pechschwarz, am Horn von Afrika.

# Theophilus

*Adam Elsheimer fecit*

Der Mond stand kopf in jener numinosen Nacht
Mit Joseph und Maria auf der Flucht. Auch sah
Ägypten aus wie ein Stück deutscher Wald.

Im Erdkern Sturm – und doch fand alles Halt:
Die Hirten um das Feuer und im See der Mond,
Am Himmel jeder Einzelstern in der Galaxis.

Das bloße Auge hielt zusammen, was im Licht
Des Kienspans klein war, alles Große ringsumher,
Nun, da der Vollmond Rom neu illustrierte.

## Descartes

Phantastische Welt – dieser Mond des Barock,
Ein Hort voller Komik, von Reversion, Reverie.
Reprisen des Erdenlebens führt man dort auf.

Die Alten bedienen die Jungen, und jedes Haus
Hat seinen Arzt, der nur die Gesunden kuriert.
Man lebt von den Speisedünsten, ißt mit der Nase.

Der Mensch geht stabil dort – auf allen vieren.
Er kürzt sich den Weg ab durchs Alphabet,
Ein Krebs aus Klugheit, humoristischer Snob.

Was Wunder, daß diese erste Reise zum Mond
Mit einem Höllensturz endet – unterm Vesuv.

# Rabbi Levi

Nur in Gemälden haust nun dieses Licht
Lunarer Ruhestunden – auf Museumsinseln
Mit ihren Sälen, den Archiven abgelebter Zeit.

Um eine Bauernhütte ist es, um den Schlammweg
Im jungen Holland. Auf Kanälen, Teichen
Verwirrt sein Silber nachts die Schlittschuhläufer.

In einem Kloster kehrt es ein. Als Wasserfall
Gibt es der Alpenlandschaft Halt. Es sickert
Am Kolosseum durch die leeren Augenhöhlen.

## Gemma Frisius

Schlecht erforscht ist die Himmelsleiter, oft gemalt.
Nur fehlt es an Augenzeugen, und unter Eid
Hat noch keiner geschworen: Ich sah sie im Feld.

Kann sein, der Wüstensand hat sie aufgestellt,
Vertikale im Hitzeflimmern, ein Konstrukt, bereit-
Gehalten von den Engeln zum finalen Karneval.

Ein Traumbild, nicht wahr? Doch begünstigt Wüste
Das Zwielicht zwischen Fata Morgana und Morgen.
Ob sie aus Glas war, Holz oder Gold. Wer das wüßte?

## Mendeleev

Wie mit den Bildern gehts mit Gedichten. Manche
Entzücken von nahem, andere erst aus der Ferne.
Dieses liebt Dunkel, jenes den hellichten Tag.

Das schlug sofort ein, Bombe. Dies wird auch zehn
Mal und öfter gefallen. Sag du, Cyrano: Warum
Der Dichter ein Herold ist zwischen den Realitäten.

Das Wie bleibt die Crux. *Ut, ut, ut* ... Es vertuscht
Mehr, als es erhellt. Denn Worte und Bilder
Kreisen fremd umeinander – Sputniks, Trabanten.

**6**

## *Abenezra*

Man spricht nicht von Muße heute, o nein.
Jeder hat seine Zeit, die er reichlich verschenkt,
Und faltet sich nachts als Fledermaus ein.

An der Kürze des Lebens ist nicht zu rütteln.
Das Schloß, immer dasselbe, hat viele Schlüssel,
Die alle passen, nachts wundersam rasseln.

Ich war in Neu-Schottland, in der Villa der Wölfe,
Sah die Mauern von Helsingör und Borobudur
In der Morgendämmerung, Tokyo und Rom.

# Quetelet

*Mo-mo-mo-*
*mi-mi-mi-mi* … Nun war die Kehle frei.

Vers–Krise war das Wort, mit dem die Wende kam.
Das Ohr, befreit vom Metronom, lotet hinein
Ins Auf und Ab der Silben in der losen Rede.

Der Rhythmus schwimmt sich frei, sagt Mallarmé,
In bruchstückhaftem Wohllaut, polymorph-pervers.
Es gibt das Alphabet nur – und dann Verse.

Der Mond stand hoch im Bogen des Balkons,
Und jeder Einzelne war seine eigene Melodie,
Jeder woanders unterwegs im Herzen, ganz bei sich.

Der Vers zerbrach in seine vielen tausend Splitter –
Nun war die Kehle frei.

## Endymion

Da geht er, der Versesammler, der Gammler
Des Universums. Warum sein innerer Sinn
Für das Leuchten ihn steuert, verrät er nicht.

Positiv ist er, absolut, was den Mond betrifft,
Diese pockennarbige Alliierte im All.
Was man über sie spricht, läßt ihn kalt.

Er ist zurückgekehrt, entdeckt nun auf Erden
Die Krater und Wüsten. In seiner Einsiedelei,
Offen die Tür, lebt er unerkannt, allem zugewandt.

# Demonax

Quer durch Europa war da einer unterwegs,
Rastlos, und immer folgte er dem Mondkalender.
Ein kühler Hitzkopf, ein Fanatiker der Zahlen:

Quirinus Kuhlmann, Akrobat im Reich der Worte.
War er der Bote, der das Mondwort überbrachte,
Der Magier des Realen, das im Traum sich zeigte?

Wenn *spiritus* die Spinne war, wer war dann er?
Der Mond gab ihm Befehl in Amsterdam: Du reise.
Bald war er überall, Paris, Jerusalem und London,

Selbst in Berlin, Konstantinopel – doch der Sultan
War nicht zu sprechen. Prediger des Christentums
Bis zum fatalen Schluß: Er starb in Moskau.

Man brannte ihm das Kreuz auf seinen Rücken.

## Abulfeda

Kein Geld – sie bezahlen mit Versen im Mond.
Acht Tage lang schlemmen kostet kaum ein Sonett.
Ein Abendbrot eine Ode, und den kalten Imbiß

Deckt mit dem Wein des Tages die flüssige Elegie.
Das Kleingeld sind Epigramme. Ein dicker Roman
Zitiert nur den Braten, vom Teufel serviert.

Alles kommt frisch auf den Tisch. Die Rechnung
Begleicht unser Orpheus der Runde. Wer hungert,
Versucht es wieder und wieder – im freien Vers.

## Eratosthenes

Schließ nun das innere Auge. Geh erneut
Hinaus in die Sphären. Keiner kennt einen dort.
Hast du die Zeit, entwertet im Schlaf, je bereut?

Das Schweben unter der Schädeldecke, den Flug
Mit den Flaschen aus Tau oder Tränen. Wie gut,
Daß alles Bangen mit jeder Einzelseele erlischt.

Du weißt, daß nur wir – nie die Worte verfallen.
Ob sie uns Halt gewähren und Immerwiederkehr,
Monsieur Uneigentlich, Diener des Irrealen?

# Buffon

Wir hörten immer: Wer nicht vor der Revolution
Gelebt hat, weiß nichts von der Süße des Lebens.
Das, zum Glück, war nicht dein Problem, Cyrano.

Du mußtest nicht Bruder und Schwester befreien,
Niemals Schlange stehen um Brot und Wein.
Spät nach deinem Tag, lang vor deiner Zeit

Entrollte die Leinwand sich: *Le bonheur de vivre.*
Alle beschämst du sie, irdischer Maximalist.
Lebenswert war dir das Liebenswerte. Es ist.

## Regiomontanus

Der Fürst des Schlafs sah ihn im Morgengrauen, fein
Gepinselt über dem Palais – ein Bild der Psyche
Als großer Tondo fern am Ende seiner Galerie.

Wer aber war er denn, ho-ho, der Fürst des Schlafs?
Der Mann der Mitte, der die Pfauen scheuchte –
Was hinterließ er uns? Barocke Brocken,

Die in der Landschaft glitzern, Findlinge des Stils,
Hellseher, Astrologen. Was ihr Orden forschte,
Zeigt sich den Neuen erst – als reflektierter Traum.

*Hertz*


In der Luna-Bar waren wir wieder die Alten,
Schimpften uns Mondgesichter, warfen Münzen:
Wer wird der erste sein, der den Test besteht?

Schwindelfrei waren wir. Das Dasein schien uns
Wie ein Roman mit dem Titel »Reise zum Mond«,
Jeder Tag himmelweit, eine grandiose Allee.

Dann fing das Berufsleben an. Wir waren
Immerfort auf Montage, Monaden der Arbeitswelt,
Über Funk verbunden, heute hier, morgen da.

Im Zwielicht der Airports hielten wir inne, saßen
Lang in der Moonshine-Lounge in postumen Posen,
Schläfrig und plötzlich hellwach, beinah alterslos.

Am Platz der Fünf Monde hielt unser Taxi an.

7

## Sacrobosco

Vielleicht war er der Ruhepunkt, den alle suchten,
Ein Leben lang, und dann doch bald vergaßen.
Sie blickten auf und sahen – sahen ihn nicht mehr.

Von Ruhe träumten alle. Viele fluchten,
Weil sie so schwer zu finden war: auf keinem Rasen,
Keinem Bergpfad oder Strand mit Blick aufs Meer.

Ach ja, der Mond. Sie kannten ihn – das war
Dies bleiche Osterei. Es hing wie ausgeblasen
Über dem Lichterdunst der Städte, Jahr um Jahr.

## Hevelius

Wer kann sagen, wie es auf dem Mond wohl roch?
Es gab Stürme dort, doch keine Hülle aus Gas.
Tags briet man sich Spiegeleier auf Lavastein,

Nachts brach die ultra-sibirische Kälte herein.
Kein Ort für Siestas, so ohne Wasser und Gras.
Kein tröstlicher Quellgrund, somit – kein Gesang.

Und kein meerweites Flüstern. Geologische Stille.
Nichts zum Erinnern – und nun? Keine Topographie
Für die Irrfahrt des Ichs, gebucht auf ein Du.

# Hyginus

Für Don Paterson

Nordsee, kalter März. Und so zum Greifen nah
Stand er selten. Schottlands rauhe Küste gab
Der Premiere einer Vollmond-Oper ihren Saal.

Mehr als ein Schiff lief auf Grund in dieser Nacht,
Als das Meer entblößt lag, schaumlos – schales Bier.
Katastrophen hingen in der Luft: nicht hier,

Fern in Japan war die Erde aufgebrochen, brannten
Ein, zwei, drei Reaktorblöcke, fiel im ersten Schock
Ein Verdacht auf ihn, den bleichen Unbekannten.

## Flammarion

Der Mond war guter Dinge. Und kein Boulevard
Gab seine Schrecken preis in der modernen Nacht,
Als wir die Flieger zählten überm Louvre.

Ein großes Wachsohr horchte an den Seine-Ufern
Und registrierte allen technischen Radau
Der Metropole, die auch ihm schon Lichtung war.

War nicht der Mond derselbe damals? Was genau
Faßt so ein Wort? Das immerfort Gedachte?
Die Summe der Enttäuschungen, der Blicke, Rufe.

## Tacchini

Nachts aber strahlen die Städte. Ein geiles Glitzern
Dringt aus den Ballungszentren durch alle Sphären,
Daß die Sterne verblassen, der Mond ergraut.

Sie nennen es Lichtschmutz, und meinen den Dunst,
Der die Erde umschleiert. Von ihrer Raumstation
Schaut die Crew voller Wehmut herab auf das Fest.

Weithin sind die Urstromtäler erhellt, elektrifiziert
Die Küsten, in den Wüsten die Casino-Oasen.
Tritt ein, Cyrano, in den Kristallpalast Erde.

## Jules Verne

Ein Kuß im Mondschein war das alte Ritual
Der Liebespaare. Wird es noch gepflegt?
Bald sind wir acht Milliarden, eine Zahl,

So unvorstellbar, daß sie kaum etwas erregt –
Nur Unbehagen, Platzangst, Konkurrenzgefühle.
Wer wird der erste sein an irgendeiner Stelle?

Wer steht aufs neue jung an frischer Quelle
Und sieht den Blauen Nil, im Innern aufgewühlt?
Der Schulchor singt sein *Dona nobis*, den Choral.

*Love*

Schlaflos liegen viele nachts auf ihren Laken, naß,
In Gedanken an den mörderischen Karneval
Auf den Straßen, halten einsam Sternenwache.

Stimmt es, daß im ruhigen Mondlichtstrahl
Hasen auf den Feldern tanzen? Wer erzählt uns das?
Nur die Dichter und die Hexen-Almanache.

Nimmermüde, sexuelle, karnivore Erde –
Die im Blindflug kreisen würde ohne ihren Mond.
Pastorale hieß das Loblied auf die gute *terra verde*,

Das allmählich still wird, ortlos wie der Ruf *O Gott* –
Wenn der Einzelne sein Eingeschlossensein betont.
Unverdrossen grüßt Aurora ihn, das Morgenrot.

# Azophi

Hell stand er über den Hügeln, dann war er fort.
Einige Bogenminuten lang – das kurze Hallo,
Mit dem man den falschen Bekannten gern grüßt.

Von wegen Himmelssystem: Da ist keine Ruhe
In den Koordinaten, im Bewußtsein kein Halt.
Alles verschiebt sich, ein Lidschlag trennt Sphären

Und Menschenleben, die kommen und gehen.
Er aber bleibt, kehrt auch den Urenkeln wieder
Wie er den Ahnen erschien, transhistorischer Bote.

8

# Timocharis

Das war der Mond von alters her: Marias Leib –
In seiner Rundung ein Mysterium. Undenkbar,
Daß einer sich ihm näherte und ihn bestieg.

Für dies Gestirn war er zu platt, der Menschenfloh.
Raketenschnell war, folgenlos, sein später Sieg:
*Eiaculatio praecox.* Im Kontrollraum ging,

Im Überschwang, die Einsicht unter: Nichts als Dreck
War da zu finden – Sternenstaub und Asche.
Ein großer Schritt … Doch sie blieb unbefleckt.

## Newton

Und eines Tages war es dann soweit: Sie rückten
Mit einer Sonde ihm zu Leibe. Eine Kamera
Entblößte seine Oberflächen Stück für Stück.

Die erste landete im Ozean der Stürme, ebenda,
Wo uns seit jeher lockte dieser große schwarze Fleck.
Nackt war der Mond, ein Zeitbild – bloßes Dokument

Im Kalten Krieg: Noch einmal war die Welt entzückt,
Und um die Wette ausgehoben wurde das Versteck.
Was heißt nun Abstand, Scheu, Dezenz?

## Aristarchus

Sie sagen immer, daß Aufbruch notwendig sei,
Unterwegssein alles und Leben fast nichts.
Sie feiern die Raumfahrt, das Picknick im All.

Doch der Mann im Orbit ist bloß auf Montage,
Routine sein Auftrag, und das Leben geht weiter
Unten, auch ohne ihn. Die Uhren ticken synchron.

Furchtbar, mit einem Bein in der Zukunft
Schwebend zu schuften, Abgesandter der Lieben
Zu Hause, um das Beste des Lebens betrogen.

## Armstrong

Ach, und Hawaii – dort probten sie die Landung,
Im Paradies der Sternengucker und der Taucher.
Ein Surfer schwebt kopfunter in der Brandung.

So numinos kann Erde sein, so primordial,
Daß nichts zu wünschen bleibt. Ein blauer Rauch
Geht von Vulkanen aus. Hier wird der Leib astral.

Elysische Gefilde … Daß der Mensch erschrak,
Bevor er aufbrach Richtung All von solchen Inseln.
Die Atmosphäre lichtklar wie am Schöpfungstag.

## Pontormo

Dies nächtliche Flugfeld, kompakt und verlassen
Mit den Containern am Rand, voll der Güter
Aus aller Welt, Globalisierung im Wartestand,

Nimmt der Reisende müde im Vorübergehn wahr.
Was nützt ihm die Fülle, wenn jede Schraube
Verglüht wie der Tag, den kein Gedanke lang hält?

Ein kleiner Mond geht ihm auf, der Zufallsmond
Einer terminreichen Nacht. Er hat es weit gebracht
Unterwegs bis hierher, der terrestrische Konsument.

# Inghirami

Bedenke die Lunge, mehr ist nicht. Der Raum,
Den sie aufreißt, wird zur Landschaft in spe.
Auf ihren Flügeln erhebt er sich, rauscht dahin.

Das Flugfeld zu Füßen am Sonntag des Lebens,
Schaut er beim Drachensteigen den Kindern zu.
Modellflieger kreisen über Vätern und Söhnen.

Alles was Beine hat, ist im Wind, in Bewegung:
Die Hunde, die Rollschuhläufer, der Marathonmann.
Und Gäa zieht – zieht Mensch und Krähe an.

## Ziolkowski

Ein Lunapark, viel Krach – und, hält der Name,
Was er verspricht? Die Kinderaugen leuchten.
Die Paare johlen auf der Achterbahn. Das Drama

Spielt ganz am Rande, zwischen Schlafen, Wachen.
Skelette in der Horrorshow, und dieses Feuchte
Kann vieles sein, die Lache Bier, ein Schmierfleck Blut.

Kandierte Äpfel, Zuckerwatte, Chinadrachen –
Hier geht es rund, am Karussell, beim Autoscooter.
Auch gibt es Orte, die man nur im ersten Alptraum sieht.

# Gagarin

Auch ein Gebet muß erlaubt sein – unter Piloten,
Wo Konzentration alles ist, was beim Start zählt.
»Tröster der Mondsüchtigen, Jesus, der Löwe,

Heiland der Fenneks und dösenden Passagiere,
Zeuge der Wüsten auf Erden – wie auch im All,
Diode im Cockpit, letzte, erleuchte uns ...«

Denn da ist kein Schritt größer unter der Sonne, kein
Licht hoffnungsvoller als das auf der Landebahn,
Auf die wir zurückkehren, Windhauch, Windhauch ...

## Gassendi

Die Luken sind dicht. Kein Stäubchen dringt ein
In die innerste Kammer des Außenpostens – Geist
Oder Technik? Die Kapsel, umhüllt von Titan.

Enorm muß die Wehmut sein, fällt der Blick herab
In das Blaue da unten, dies Krampfadernblau,
Das ein Delta markiert, den Fächer des Mekong.

Die Aromen der Erde sind nur mehr Gerücht
Mit der wachsenden Ferne weit hinter dem Mond.
Die Anziehung wechselt. Und die Luken sind dicht.

# Ulugh Beg

Und einer flog hinaus aufs Meer, dem Hurrican
Entgegen, von der Küstenwache ausgesandt.
Amerika lag hinter ihm, vor ihm die lila Wand.

Er ist der Held des Tages. Noch am Abend
Sitzt er im Fernsehstudio, kommentiert die Bilder.
Der Sohn der Mondbesucher ist nun *sunnyboy*.

Im Fernen Osten denkt ein Greis an seine Jugend,
Als er im Flugtorpedo mit dem Götterwind
Bereit war zum Routinesuizid und kehrte heim.

## Brianchon

Sie haben es eilig, zurückzukehren, nicht wahr?
Niemand kreist gern im Orbit, heult ins Telephon –
Untreu die Frau, ungezogen die Kinderschar.

Odysseus, der Ahnherr, hat sie gewarnt. Sein Fall
Folgt jedem Abenteurer ins Bett. Verschont
Heimzukehren ist der Wunsch eines jeden im All.

Heute fliegt man auf telepathische Art. Zuviel
Will jeder, und nichts entbehren, selbst in der Enge
Des Raumschiffs. Das, Cyrano, ist der Stil.

# Wargentin

»Phantastische Einsamkeit«
Edwin Aldrin
04:13:42:28    20. Juli 1969

Und nun im Ernst: Was hast du gesehn
Auf den wenigen Sprüngen – du, suspendiert
Von der Erdenschwere, weißes Känguruh Mensch?

Die reine Menschenleere – ein Königreich
Für die Kenner der Erze. Und einer flüstert es
Dem anderen zu: die Sensation dunklen Lichts.

Bildbände gibt es nun. *Photographs of the moon.*
Der Traum wird zum Tatort mit Reifenspuren
Von Außermondischen. Klobig ihr Fußabdruck.

## Bessarion

So war sie erfüllt, Cyrano, deine Mission
Mit den ersten Fernsehbildern der Landung.
In den Museen tauchte überall Mondgestein auf,

Neben dem Bergkristall, dem Topas, dem Opal.
Das Leben ging weiter. Die Goldwaage log,
Belastet von Feinstaub, kosmischer Schlacke.

Nichts war so kostspielig wie die Biographie
Des Naiven, der vorgab, dabeigewesen zu sein.
Unter uns, den Empirikern: Wer zeugte für ihn?

## Mandelstam

War das der Ausklang aller Abenteuer –
Sämtliche Krater, hier wie dort, kartographiert,
Antarktis bekannt bis zum letzten Pinguin?

Langsam, langsam. *Ihr bewegt euch zu schnell,*
Sprach der Indio lachend, hoch oben am Paß.
Unter dem Gipfel kreiste ein kranker Kondor.

Auf der Autobahn, bei den Windkrafträdern
Raunt das Radio: Rechnet mit Überraschungen.
Morgen- und Abendstern zwinkern einander zu.

## Boscovich

»Abschied vom Weltraum« titeln die Magazine.
Amerika verschrottet seine Weltraumfähren.
Ab ins Museum, zu Skaphander und Turbine.

Der Ehrgeiz ist erloschen. Um die leeren Hallen,
Die feuerfesten Rampen wird das Unkraut wachsen
Aus Floridas venerisch feuchtem Boden.

Von da aus flogen sie zum Mond, und es war nichts
Erbracht als der Beweis: Der Zauber schwindet.
Erratisch tauchen Palmen auf im Morgenlicht.

# Avicenna

Die Welle, die sich bricht und schäumend ausläuft,
Der dunkle Wolkenwirbel, dem der Regen folgt,
Das Kind, das einen vollen Plastikeimer schwenkt –

Was haben sie gemeinsam? – A: Die Rotation?
B: Die Gezeitenkraft, die uns der Mond beschert?
Oder die allgemeine Trägheit der Materie: C?

Die beiden kreisen: kreisen in gebundner Rotation.
So zeigt der Mond uns immerfort dieselbe Seite –
Jahraus, jahrein das gleiche hasenschartige Gesicht.

Sein Pokerface macht sie nervös, die zarte Erde.
Unwucht, die Differenz zum Kern, bewirkt,
Daß sich die Wasserspiegel heben, senken.

War denn der Ozean ein Cognac-Schwenker?
Die Fluten schwappten an den Glasrand. Metertief
Entblößt lag manche Bucht mit ihren Muscheln.

Die Erde dreht sich schneller als der Mond umläuft.
Mit jedem Zyklus wächst sie, die Verspätung –
Der alte Trödler nimmt sich Zeit. Er bleibt zurück.

## Möbius

Was ist der Mond? Der treue Hund der Erde,
Faktotum, Außenspiegel, schwankender Geselle,
In seiner Kahlheit eine wandelnde Beschwerde.

Ein Gong auch, lautlos, korrodierte Narrenschelle,
Ins All gehängt von dem Maestro allen Schwebens.
Mal nah, dann fern: Und plötzlich groß zur Stelle,

Wenn er schon fast vergessen schien und aufgegeben.
Ein grauer Riesenpilz, ein Diagramm der Tage,
Die sich zum Monat runden. Das war sein Diktat.

Er hält die Pole, macht das Meer zur Wasserwaage.
Die Erde wäre unbewohnbar ohne ihn –
Geht ein Gerücht, das älter ist als Platons Staat.

Er war das Himmels-Jo-Jo, Spielzeug aller Pharaonen,
In jeder Rolle gut, als Bonze, Rabbi, Muezzin.
Schreib einen Brief an den Mond. Schreib *Cyrano*...

# Lyrische Libration

Am Anfang stand ein Tag in Berlin. Es war ein Sonntag, und wir waren hinausgefahren auf das Rollfeld des stillgelegten Flughafens Tempelhof. An diesem Wochenende im Spätherbst hatten sich die Flugbegeisterten und Spaziergänger aus der Umgebung dort am Tag der offenen Tür eingefunden. In dem Zaun, der das Gelände weiträumig umgab, waren ein paar Gittertore geöffnet worden. Nun ging man etwas unschlüssig umher, verlor sich auf dem kilometerlang in Bahnen und Schleifen verlaufenden Asphalt, den seit sechzig Jahren kein unberufener Stadtbürger betreten hatte. Eine große Heiterkeit lag in der Luft. Es war einer dieser Sonntage des Lebens, von denen ein Philosoph, der einst in Berlin gelehrt hatte, sprach. Piloten in gestärkten Uniformen trafen auf Modellflugzeugbauer in fleckigen Overalls, einsame Onkel und Väter mit ihren technikbegeisterten Söhnen drehten sich in einer Euphorie endloser Fachsimpelei um ihre liebsten Spielzeuge. Klassische Rollschuhläufer kurvten mit Bonanza-Radfahrern um die Wette und wurden von den Rudeln der Skateboardfahrer abgehängt. Inline-Skater zogen, einen Arm auf dem Rücken, den anderen frei ausschwingend, ruhig ihre Bahnen. Von Ferne glichen sie, über den asphaltgesäumten Wiesen schwebend, den Schlittschuhläufern auf den Gemälden der alten Niederländer. Es war das Bild eines anderen Goldenen Zeitalters: moderne Freizeitmenschen in luftiger, schwebender Existenz.

Mittendrin wirbelten Kinder umher, sie ließen Drachen steigen. Auch Mütter mit Kinderwagen, die meisten von ihnen jung, viele Türkinnen darunter, suchten sich eine Spur auf den weiten Rollfeldern und Rasenflächen. Männer, die in kleinen Gruppen zusammenstanden, hielten Bierflaschen gegen den Horizont: Prost!

Es war kein Volksfest, dazu fehlte es an den sonst in Berlin üblichen Imbißbuden und Luftballonverkäufern. Die Menschen hatten sich dort versammelt, um in der Freizeit, auf einer der wenigen Lichtungen inmitten der Millionenstadt, die Weite des Himmels zu überprüfen.

Da war der verwaiste Terminal, der an die futuristischen Versprechen des frühen zwanzigsten Jahrhunderts erinnerte, aus denen dann die politischen Verbrechen krochen. Das Halbrund des offenen Hangars lag leer in der Ferne, von aller Technik bis zum letzten Gepäckkarren entblößt – eine Monumentalarchitektur, die mit einer letzten Umarmung den Luftraum an die Erde zu binden versuchte, vergeblich. Einmal mehr war ein Verkehrsknotenpunkt aufgelöst worden, hatte der Aufbruch zu neuen Ufern einen weiteren Hafen überflüssig gemacht, von dem noch gestern das Überleben des Gemeinwesens abhing. Und das Gemeinwesen war schwach, das war nun plötzlich sichtbar, es hing an seidenen Fäden, die lauter Luftfäden waren. Wie fortgeblasen war das Tremolo der Radiowellen, auf denen mit Berliner Luftbrücken und Rosinenbombern um die Hoheit gerungen wurde, um die Herrschaft nicht nur im Reich der Sprachbilder.

Die Oktoberwolken wußten davon nichts mehr. Der Horizont im Westen Berlins und der im Osten war nun aufs neue schwer von Wolken verhängt. Die Bäume standen regungslos wie die Häuserzeilen entlang des Freigeländes, das man der Stadt abgetrotzt hatte als nunmehr nutzlose Brache. Der Tag hatte rein Schiff gemacht mit den Legenden von gestern.

Das Auge badete, von allen historischen Trübungen blankgewaschen, in den vergehenden Himmelsfarben, darunter ein schwaches Englischblau, Streifen von Tischtuchweiß, ein Abglanz vom Silberchrom amerikanischer Straßenkreuzer. Viel mehr war es nicht, aber es war, wie die Heiterkeit auf dem Rollfeld zeigte, einer dieser Momente, von denen nachher keiner mehr hätte sagen können, woher ihr alles umspannender Zauber rührte.

2

Noch in derselben Nacht starke Träume: Der Mond stand groß über Berlin. Er stand aber auch, seltsam genug, über Oslo so. Dies Phänomen, das einen von Zeit zu Zeit einholen konnte: Da ist der Mond, als Himmelskörper, unübersehbar rund von allen Erdpunkten aus sichtbar – und er war immer schon vor einem da! Auch wenn er eben erst zu entstehen scheint, du wirst vergehen, er aber ist auch in der Nacht darauf wieder da.

Ich habe ihn in Ohio gesehen und in einer Sommernacht, von Rom kommend, blutrot über Ostia, und das Meer darunter war aufgekratzt und hatte einen unangenehmen Fäulnisgeruch. Ich bin weit herumgekommen in Betrachtung des Mondes. In Oslo sah ich ihn aus dem Fenster unserer kleinen Hotelpension, und auch in Osaka war er ein zuverlässiger Pol, wenn ich den Kopf in den Nacken legte, um einmal Halt zu finden im Fernen Osten. Wie oft war ich verblüfft, wenn er mir, immer derselbe alte Geselle, an den verschiedenen Himmeln der Nord- und Südhalbkugel erschien, in so vielen Muttersprachen heraufbeschworen – keine, die ihn nicht unter den Prominenten der Poesie führte. Das Überraschende an ihm war reine Identität mit sich selbst. Der Mond war der Mond war der Mond … Er zeigte sich der Erde augenscheinlich immer von derselben Seite. Doch war das eine Täuschung und die vermeintliche Identität in Wahrheit getrübt von dem, was man die *lunare Libration* nannte, ein Effekt, der nur Langzeitbeobachtern erkennbar war, im Betrachter aber ein unmerkliches Schwindelgefühl erzeugte. Es war dies ein Taumeln, wie es einen ähnlich auch bei gewissen Worten erfassen konnte – festen, verläßlichen Größen wie Liebe, Einsamkeit oder Nacht. Sie waren stets dieselben, und doch im Sprachgebrauch, anders als die Eigennamen, niemals konstant. Auch bei ihnen gab es dies Schwingen zwischen Nähe und Ferne – ihre *lyrische Libration*, wie man sie in Anlehnung an den Astronomenausdruck nennen könnte.

Man sagt, im Gedicht seien die Wortbedeutungen schwankend, je nach dem Neigungswinkel des Lesers, seiner seelischen Inklination. Unter dem Druck des je eigenen Lebensproblems nehmen sie die teils gewünschte, teils auch gefürchtete Bedeutung an. Das trifft auf Gedichte zu, aber auch auf gewisse Stellen in Reiseberichten, wenn uns die Länge der Route in immer neue Erlebniszonen versetzt. Es gilt erst recht für die religiösen und die ersten philosophischen Texte mit ihrer urwüchsigen Mehrdeutigkeit. Doch nirgendwo kommt es besser zum Ausdruck als im Gedicht, dem der Ruf größter Individualisierung vorauseilt. Im Vers werden die allgemeinen Begriffe, die Wörterbuchworte zu Eigennamen in der persönlichen Welt des Sprechers. Eine Waage im Inneren des Lesers ist fortwährend damit beschäftigt, sie in die Balance der eigenen Lebenserfahrung zu bringen. So gleicht das Gedichtelesen dem Blick aufwärts zum Mond, der den Menschen einschließt in seine Intimität, ihn zurückwirft auf seine Existenz, die insgesamt bodenlos ist.

Was müssen die Seeleute denken, heute wie gestern, die den Mond auf offenem Meer erblicken, von Heimatgefühlen genarrt? Einmal dämmert es auch dem Städtebewohner auf seinem Heimweg, daß die Gleichung niemals aufgehen kann, und er kritzelt in sein Notizbuch: Dort der Mond, die interplanetarische Ruhe selbst, und hier das nimmermüde Gehirn, dein eigenes immerfort schwankendes Ich – Quelle des Perspektivismus – der heimliche Unruhestifter auf Erden.

3

An einem der folgenden Tage las ich wieder die Wunder-
fabel von der Mondreise des Savinien de Cyrano Berge-
rac, mit einer Freude, wie ich sie beim ersten Mal nicht
gekannt hatte. Ich war überrascht, wie herzerquickend
sein Expeditionsbericht herüberkam – als wäre seit dem
Jahr 1650 für den Staunenden kein Tag vergangen, während doch, wie jedes Kind wußte, unaufzählbar vieles,
das diesen Tag hinter allen Horizonten versenkte, ge-
schehen war.
Den Typus des mondsüchtigen Dichters hat es zu allen
Zeiten gegeben. Dieser Schriftsteller-Musketier im Goldenen Zeitalter der barocken Bizarrerien aber war anders. Er war nicht der erste Gedankenreisende, der sich
auf dem Weg mondwärts in lauter groteske Situationen
brachte und währenddessen nach Kräften lächerlich machte, aber er war von allen der erste, der dabei seine ele-
gante Kleidung am Leib behielt, und offensichtlich auch
einer der letzten. Die Illustrationen der Erstausgaben
zeigten ihn als fröhlichen Luftwanderer, gewandet nach
der Mode der Zeit, in Seidenstrümpfen, mit einem Spit-
zenkragen über dem leichten Rock, auf dem Kopf einen
Federhut, der ihm auch in den heftigsten Turbulenzen
nie davonflog. Und dies, obgleich auch damals die Überfahrt nur als äußerst beschwerlich denkbar war. Man
kam nicht leicht voran im All, wo es an Poststationen
und Schlössern fehlte, wie sein Zeitgenosse John Wilkins,

ein anderer Mondbesucher im Geiste, mißmutig bemerkte in seiner »Erörterung der Möglichkeit einer Reise dorthin«.

Wilkins war zehn Jahre vor Cyrano aufgebrochen; er hatte in einem Traktat die These von der Bewohnbarkeit des Mondes verfochten. Der Mann, der als neugieriger Christ auch Verfasser einer Abhandlung über Merkur, den flinken Überbringer geheimer Götterbotschaften, war, wurde später für seine Verdienste um eine Universalsprache der Philosophie bekannt, von der klar war, daß sie einzig eine Geheimsprache sein konnte, von einem kleinen Zirkel von Kryptographen nur zu entziffern. Sein spezieller Ruhm drang Jahrhunderte später auf Umwegen bis nach Argentinien, wo ein blinder Bibliothekar und Jäger seltener Editionen seinen Gedanken einer spekulativen Zeichensprache aufgriff und in Erzählform weiterentwickelte.

Doch ob die Leute auf dem Mond nun Weinkeller anlegten und länger zu hungern vermochten als die Erdbewohner, ob das der Ort war, den die Griechen mit ihren elysischen Feldern gemeint hatten, oder im Gegenteil das finstere Exil der vom Unterweltsgott entführten Proserpina – eine Reise dorthin würde sich allemal lohnen. Reverend Wilkins trug damals an Gelehrtenwissen zusammen, was sich fand und was eine Mondexpedition eines Tages unaufschiebbar machte. Er trat in der Rolle des theoretischen Kolumbus auf und war, wie die hellsten Köpfe seiner Zeit, Kopernikaner. Für das Apollo-

Programm der NASA, so technisch nüchtern und götter-
fern es am Ende auch war, darf er als einer der Anreger
gelten. Gelassen sah er dem Tag entgegen, da *einer unserer
Nachkommen einen Weg in diese andere Welt findet.* Er sah
ihn als einen Mann von der Art des Sir Francis Drake,
auch wenn die ätherische Luft zu seinen Lebzeiten noch
nicht als schiffbar galt. Man durfte unterwegs keine Hä-
fen erwarten, geschweige denn Gasthäuser. Vielleicht
half es, daß der Weltraumreisende kaum noch Hunger
verspürte, weil er sich in der Schwerelosigkeit in einem
ähnlichen Zustand befand wie die Tiere im Winterschlaf.
Keine Sekunde lang zweifelt Wilkins an den technischen
Mitteln, die es eines Tages erlauben würden, zum Mond
zu fliegen. Bis die Raketen erfunden sein würden, konnte man immerhin von einer Überfahrt auf dem Riesen-
vogel von Madagaskar träumen. Dies war ein Wesen,
von dem Marco Polo zu berichten wußte, daß es ein
Pferd samt Reiter und sogar einen Elefanten emporhe-
ben konnte.

4

Vieles ist seither unternommen worden, um solche Phan-
tasien real werden zu lassen. Zuletzt brach ein Wettlauf
aus unter den mondsüchtigen Nationen. Und eine der
beiden sandte ihre Vertreter in einer bemannten Rakete
nach oben und vollendete die Mission, indem sie, das war
das Wichtigste, eine Landesfahne in den watteweichen

Boden steckte, und das war es dann. Doch müssen die dreihundert Jahre von Cyranos Aufbruch bis zu den ersten Photos der sowjetischen Mondsonde Lunik 3 uns heute nicht wie ein Katzensprung erscheinen? Die Mondlandung selbst ist vielen der Erdbewohner heute kaum mehr als eine Bagatelle der Raumfahrtgeschichte. Demnächst drohen die ersten runden Jubiläen – und wenn schon. Es bedeutet nichts mehr, der Expeditionsgeist hat sich längst anderen Gestirnen zugewandt. Der Mond liegt nun wieder im Schatten der allgemeinen Berichterstattung. Hin und wieder erregt er noch ein kleines Aufsehen: etwa damit, daß einer der Lunar Observation Satellites, die nach dem legendären Mondeis fahnden, in einen der Krater gelenkt wird und dort zerschellt.

Ein Pionier aber war Cyrano auch darin, daß er den Aufstieg zum Mond in aller Stille plante, während er die Rückkehr an die große Glocke hängte als das wahre Spektakel. Er war der erste, der literarisch in Szene setzte, was es heißt, von einer so unwahrscheinlichen Reise heimzukehren. Von nun an gehörte er zu den Ruhelosen, den die Mächtigen unter den Geozentrikern jagten wie einen bunten Hund. Mit überlegener Selbstironie schildert er den Sturz auf den Boden der irdischen Tatsachen, die Ankunft in den Niederungen Europas. Man kann ihn sich vorstellen, wie er in einem Wirtshaus, die Augen weit aufgerissen, den Humpen hob und den Tabakrauch ausblies, von lustigen Spießgesellen umgeben, die seinen wundersamen Erzählungen lauschten.

Adriaen Brouwer hat ihn so portraitiert, der Bruder im Geiste, von dem wir wissen, daß er in den Schänken Antwerpens zu Hause war, ein Menschenfreund, der in seinen Bildern den geselligen Augenblick feierte, den Moment, wenn die Luft unter Zechbrüdern brannte.

Ein Gemälde, nach langer Irrfahrt im Metropolitan Museum von New York gestrandet, zeigt die fröhlichen Lunarier beim Stammtisch. Sie begießen den Sieg über die Schwerkraft. Man sieht sie in wilder Geselligkeit, beim Inhalieren von Tabaksrauch, der damals so neu und sensationell war wie die Berichte von der leichten Erreichbarkeit des Mondes. Im feuchten Übermut kriechen die Helden sich auf den Pelz, daß sich die Tische biegen. Heißa, das waren sie, die Exaltationen der Neugeborenen, die jede Melancholie in Strömen von Alkohol und im Rauch der Indianerpflanzen ertränkten. Die Idioten der Erde wuchsen am Wirtshaustisch über sich hinaus. In einem Moment der Lebenstrunkenheit spuckten sie sich in die verzerrten Gesichter. In der kleinsten Hütte war nun der größte Raum, und die Botschaft ging hinaus, weit in die Nacht hallend, an die Verzagten da draußen.

Cyrano vermerkt den Umstand, daß in ganz Italien bei seinem Auftauchen die Hunde bellten, weil der Heimkehrer noch immer nach Mond roch. Die geruchsempfindlichen Tiere waren von den Ausdünstungen fremder Welten gequält. Alle Hunde des Königreiches hätten laut angeschlagen, schreibt der Illuminierte. Dann retten ihn

Bauern und führen ihn in ein sicheres Quartier, wo er sich nackt auf einer Terrasse der Sonne aussetzt, um den Mondgestank loszuwerden.

5

Auch die Deutschen wollten einmal einen Geruch loswerden – den von Verwesung und Brand. Nach ihrem letzten Krieg war das: Ihre Städte lagen noch in Trümmern, da begannen sie von einer reineren Luft zu träumen, der Weltraumluft. In Berlin liefen junge Männer in Astronautenanzügen über den Kurfürstendamm, um für den Film »Endstation Mond« Reklame zu machen. Kinder in Lederhosen folgten ihnen mit fachmännischem Blick, Kriegerwitwen blieben verwirrt am Straßenrand stehen. Damals wie heute ragte der abgebrochene Flaschenhals der Gedächtniskirche in den Himmel.

An jenem Sonntag auf dem Rollfeld kamen mir auch die drei Amerikaner wieder in den Sinn. Auf ihrem Triumphzug durch halb Europa im Oktober 1969 – ich war damals sieben, und mein Vater verfolgte in seiner Begeisterung für alles, was mit der Luftfahrt zusammenhing, jeden Bericht – waren sie in Berlin-Tempelhof eingeschwebt, ganz so, wie es sich für Boten aus der modernen Mythenwelt gehörte. Die halbe Stadt war mit den Emblemen der Apollo-11-Mission geschmückt. Mancher der Schaulustigen entlang der Hauptstraßen mag sich im stillen gefragt haben, warum die drei Helden in Anzug und Krawatte aus der Limousine winkten und nicht in den bekannten schneefarbenen Raumanzügen. Man hätte erwartet, daß sie sich den Photographen auf den Gangways und vor den Rathäusern in ihren brandneuen *moonboots* zeigten, welche schon in der nächsten Saison in den Wintersportorten Mode waren, beim Après-Ski am Fuß der Sessellifte das passende Requisit. Doch das Erscheinungsbild dieser Bürger Astronauten war, bei aller Medienaufmerksamkeit, himmelweit entfernt von den Inszenierungen der musketierhaften Mondfahrer des Barock. Für Cyrano, Urbild aller künftigen erdmüden Dandys, war der Ausflug zum nahen Trabanten ein Anlaß, das Pfauenrad aufzuschlagen. Die Erde war nun frisch ausgemessen, der Globus nach allen Windrichtungen umsegelt, für einen Edelmann galt es, nach größeren Abenteuern, höheren Weihen Ausschau halten.

Cyrano war das Phantom der Mondsucht Europas, ein Ausbund an lunatischer Metaphorik. Seine Technologie war die eines Amateurs, der sich um physikalische Prinzipien kaum scherte, als Legendenschmied aber war er ein Filou und Lügenbold, lange vor dem Baron von Münchhausen, dem er in vielem glich. Sein Mondflug war zuvorderst ein Werbefeldzug in eigener Sache. Und begann nicht mit Freigeistern wie ihm die Verachtung des Fabulanten für den bloßen Famulus, jene Loslösung vom bloß Realen, die in die Reiche der Science-fiction führte? In eine ihrer selbstherrlicheren Spielarten wohlgemerkt – nicht in die triste, auf wissenschaftliche Kor-

rektheit bedachte, die dem Genre dann alle Poesie raub-
te. In der Projektewelt des Jules Verne blitzte sein Geist
wieder auf, in phantasusartiger Überdrehung und surrea-
ler Übertreibung, bevor er sich in den Wüsten der Pro-
duzenten literarischer Astrofiktion verlor. Die Sprach-
labyrinthe eines Raymond Roussel haben davon mehr
bewahrt als die Bestseller futurologischer Konfektion.
Daß sie nur selten Schritt halten konnten mit dem Tem-
po ihrer Verwirklichung, erklärt, warum die meisten von
ihnen so öde sind.

Keine Reisen als die über die Grenzen der Philosophie
hinaus war die Devise. Die Einbildungskraft stand im
Dienst des transzendentalen Teletransports. Im Zeitalter der beschleunigten Überholung aller vorauseilenden
Ideen durch *mondialisation* leuchtet sie unmittelbar ein.


6


Cyrano war ein Pionier dieser Bewegung, ein Himmels-
stürmer im Selbstversuch. Nur daß seine Bahn ihn weit
hinaustrug, und zuletzt geradewegs auf die Sonne zu.
Eine Ballonfahrt bringt ihn zunächst über den Ozean
nach Kanada. Dort gerät er unter die Irokesen wie viele
seiner amerikaerobernden Landsleute, entgeht aber im
letzten Moment der Skalpierung dank eines simplen Pa-
tents. Aus den waldreichen Regionen der Neuen Welt ka-
tapultiert eine Höllenmaschine ihn auf den Mond. Den
Auftrieb in die höheren Sphären ermöglichen Fläsch-

chen voll Tau, deren Inhalt verdunstet. Oben angekommen, wird er von den Bewohnern gefangengenommen. Die Eingeborenen erklären ihn zum Affen und verkuppeln ihn mit einem gefangenen Spanier, der stellvertretend dort für alle Terra-incognita-Besetzer unter spanischer Flagge steht, von Kolumbus, Pizarro und Cortez bis zu Domingo Gonsales, dem frühesten Mondbesucher aus dem Reisebericht des Francis Godwin. Zum Glück verhilft ihm ein Geist – es ist der Dämon des Sokrates – zur Flucht in die interplanetarischen Freiräume. Daraufhin reist er weiter zum Zentralgestirn, wie mancher seiner forschenden Zeitgenossen von den Sonnenflecken angezogen, die mit den neuen, linsentechnisch aufgerüsteten Fernrohren erst sichtbar wurden. Dann holt ihn die Philosophiegeschichte ein in Gestalt seines Landsmannes René Descartes. Die Ankunft des soeben verstorbenen Denkers wird ihm gemeldet. Damit ist sein Bericht in der biographischen Echtzeit angekommen.

Wir schreiben das Jahr 1650. Die cartesische Anima ist aus dem eisigen Schweden ins All aufgefahren und hat die menschliche Maschine gleichen Namens als Kadaver auf Erden zurückgelassen. Sie kommt aus der polnahen Winterkälte in den ewigen Tropensommer der Sonne. Der Verstorbene wird, bei seiner Ankunft in einer allegorischen Landschaft, von seinem Geistesbruder Tommaso Campanella, Verfasser der Utopie vom Sonnenstaat, begrüßt. Der Dominikanermönch und Spezialist für Horoskope hat sein Erscheinen vorausgesagt. Campanella und Descartes, zwei Exilanten auf Erden, begegnen einander schließlich am idealen Ort ihrer Theorien. An dieser Stelle bricht der Roman ab.

Er bleibt Fragment, weil der Autor selbst, längst zurück in Paris, einem Unfall erliegt – einige glauben, einem Attentat –, nachdem ihm im Haus des Cousins ein Deckenbalken auf den Kopf stürzte. So starb Cyrano, die näheren Umstände seines Todes wurden nie polizeilich aufgeklärt.

7

Interessant ist eine Abschweifung, die Cyrano sich gegen Ende seiner Expeditionsfabel erlaubt. Der Leser wird mit der Erörterung eines Problems unterhalten, das die Philosophen der Zeit zumeist gekonnt umschifften, während es den Schriftstellern naturgemäß keine Ruhe ließ. Es ging um die Übertragung der Bilder ins menschliche Gehirn. Wer sich mit der alten Eidola-Theorie der antiken Atomisten nicht zufriedengab, wem die schönen Passagen darüber im Lehrgedicht des Lukrez *Von der Natur der Dinge* nicht genügten, der war in einiger Verlegenheit. Wie ließ sich die Transformation der Objekte in den Gedankeninhalt, Wunschbilder und Weissagungen inklusive, erklären? Der Vorgang war doch reichlich abstrakt geblieben. Wie aus Betrachtung Vorstellung wurde, die Frage nach dem Rätsel des rechten Erratens war nie befriedigend ergründet worden.

Cyrano hatte in den Pariser Vorlesungen seines Leibphilosophen Gassendi einiges dazu aufgeschnappt. Der Meister hatte ihn auf die Spur gesetzt mit seiner Theorie von den *Effluxionen*. Keiner verstand sie recht, aber manch einer gierte nach ihrer Auflösung. Sie war das Herzstück aller Beschreibungskunst – das Fundament, auf das vor allem die Dichter, geborene Sensualisten, zu bauen hofften. Sie versprach, den Abstand vom Ich zur mannigfaltigen und doch konturenscharf verdichteten, in lauter herrlichen Formen ausgeprägten Materie zu überbrükken.

Cyrano, heißt es, habe hierzu Gassendis persönlichen Rat eingeholt. Aber das blieb ebenso ungesichert wie das Gerücht von seinen Unterredungen mit dem Hausautor der Pariser Komödie, Molière. Unter den neuzeitlichen Denkern war Gassendi sicher der radikalste aller Atomisten. Er war der erste ernstzunehmende Wiederentdekker einer Lehre, die schließlich zur alleingültigen wurde. Es bedurfte des Erklärungsmodells Atom, um den Sprung von den Gegenständen zum Betrachterauge metaphysikfrei zu deuten. *De visu*, vom Sehen, hieß das Kapitel von Gassendis Hauptwerk, in dem dieser in einer weitausgreifenden Verteidigung der ketzerischen Annahmen Epikurs den Schlüsselsatz lieferte. »Effluxionen sind gleichsam Formen oder vielmehr Schatten und Abbilder der Körper, die von diesen sich ausbreiten und sie nachzeichnen …«

Es lief alles auf ein unbewußtes Kopierverfahren hinaus,

auf einen Kunstgriff der Natur, die sich des Menschen zu ihrer Selbstbespiegelung bediente. Die Maler wandten ihn lange schon an, seit Erfindung der *camera obscura* mit der größten Virtuosität.

Effluxionen waren die Basis der kühnen Phantasiesprünge des Cyrano – ihr Einfallstor seine Träume. Auf diesem Strahl ließ sich trefflich durch Zeit und Raum reisen. Und wie nebenbei wurde so der Materialismus in die Erzählung eingeführt. Cyrano, der entfesselte Erdenbürger, nimmt ihn in einer ersten bizarren Skizze vorweg. Die cartesische Kognitionslehre, ein Kristall, löst sich in den Spiralnebeln auf. Der ursprüngliche Zauber der sieben Sinne überholt die mechanistischen Konstruktionen aller bisherigen Vernunft. Descartes, ihrem letzten Gouverneur in Europa, verschlägt es die Sprache. Der Philosoph verstummt im Exil der Sonne. »Songez à librement vivre« ist die Abschiedsformel der Mondbewohner: Gedenket, frei zu leben. Mit ihr hat Cyrano der theologischen Knechtschaft entsagt.

8

Die modernen Weltraumeroberer jedoch – *Astronauten* im Westen genannt, *Kosmonauten* damals im Osten – haben sich vom Mond zurückgezogen. Zwei weiße Amerikaner, Crewmitglieder der Apollo-17-Mission, waren im Dezember 1972 die letzten, die den Erdtrabanten betraten, ein Besuch von immerhin mehr als drei Stunden.

Danach brach der Besucherverkehr ab, und fast ein halbes Jahrhundert lang ließ der Mensch das Gestirn uns gegenüber unbehelligt. Ein berühmtes Foto zeugt von der Abschiedsmission. Es zeigt den voll erleuchteten Erdball als blaue Marmorkugel, die Küste Afrikas mit der Insel Madagaskar ist deutlich erkennbar, die Antarktis trägt eine schneeweiße Eiskappe. Einer der Astronauten kam später zu der Einsicht: »Wir brachen auf, um den Mond zu erkunden, aber tatsächlich entdeckten wir die Erde.« Er gab damit der herrschenden Heimkehrstimmung Ausdruck. In jenen Jahren erwachte das neue Umweltbewußtsein: Der Heimatplanet erschien auf einmal das Kostbarste überhaupt in den Weiten des Alls.

Heute rauschen die Fähren am Mond vorbei wie am erstbesten Supermarkt um die Ecke. Den Raumfahrtbehörden des Westens scheint der entzauberte Erdtrabant keiner weiteren Anstrengung wert. Er ist gerade noch gut als Nahziel für intergalaktische Kreuzfahrten. Privatfirmen sind dabei, verlockende Angebote für alternde Millionäre, die sich in Wartelisten eintragen dürfen, zu entwickeln. Erst in letzter Zeit ist auch wieder etwas Bewegung in die professionelle Mondraumfahrt gekommen. Oder handelt es sich, wie schon in den klassischen Zeiten der Gagarin und Armstrong, primär um politische Demonstrationen, kosmostrategische Ambitionen?

Nach den Mondmissionen der kalten Krieger wird als nächster der *Taikonaut* auf den verlassenen Schauplatz zurückkehren, das ist absehbar. China macht sich bereit, erste bemannte Expeditionen zum Mond auszurüsten, seine Raumsonden haben das Gelände gründlich sondiert. Allgemein hat man es auf das lunare Helium abgesehen, ein Element mit dem Charme einer Telephonnummer: 13 13 22 13 – das als idealer Brennstoff gilt für die künftigen Kernfusionskraftwerke. Zeit, ein letztes Mal durchzuatmen: Noch übersteigen die Transportkosten die charmanten Freudensprünge der Phantasie bei weitem. Der Mond der Zukunft wird zur Rohstoffquelle, und Supermacht ist, wer seine Ansprüche auf ihn raumfahrttechnisch durchsetzen kann. Auch Indien könnte demnächst dabeisein mit seinen *Vyomanauten*. Die Aufteilung des Alls unter den Agenten der Erdmächte, der Kampf um die extraterrestrischen Claims ist in vollem Gang – während der Ganges geruhsam dem Meer entgegenströmt.

Die verschiedenen Weltraumunternehmungen sind nun zur Routine geworden wie die täglichen Reparaturarbeiten im All. Auf den Raumstationen geht es zu wie in der Autowerkstatt um die Ecke. Von Nachrichtenwert sind nur die kleinen und größeren Havarien. Indessen kümmern Fachleute sich um die Einzelheiten, die das große Publikum kaum berühren. Die Masse der Zuschauer hat sich von den Expeditionen in die Sternenräume abgewandt, sie ist die meiste Zeit desinteressiert. In der Presse tauchen hin und wieder Fotos auf, die für den Planeten Mars Werbung machen. Aber fesselnder als die Bilder, die uns das Marsmobil herüberfunkt, packender als die

Entdeckung immer neuer Kleinplaneten jenseits des Sonnensystems, Objekte, die Namen tragen wie »Kepler-78b«, sind allemal drohende Katastrophen.

So sehr ist die Aufmerksamkeit auf einen heranfliegenden Asteroiden fixiert, daß ihr der Einschlag des Meteors nebenan beinah entgeht. Wir träumen den Weltuntergang, während Milliarden Partikel aus dem All uns unmerklich beschießen. Die Laserkanonen sind auf uns gerichtet, es gibt keine Feuerpause, nur spüren wir davon so gut wie nichts. Unendlichkeitssehnsucht verläuft sich in einem Regentropfen. Da sie nun wissen, sie sind allein hier draußen, konzentrieren die meisten sich auf das Wachsen der Monde in den rosigen Nagelbetten ihrer Finger, zehn an der Zahl. Das nennt man Liebe, und es ist mehr als genug für ein kurzes Leben, dem in der Galaxis alle Bedeutung zukommt. Weil Schwerkraft uns niederdrückt und das meiste mit Unerreichbarkeit droht, wendet der Blick sich bald ab von den Himmeln. Das nennt man Humor. Das menschliche Gehirn vermeidet, so gut es kann, den Schwindel der Rotation.

Der Mann wohnt nicht mehr im Mond, so wenig wie die Frau oder die Superfrau, die Göttin, die ferne Angebetete, die Madonna. Aber einmal im Jahr, in der längsten Nacht, rückt uns sein Spiegel bedenkenswert nah. Dann blicken wir auf und sehen ihn: den Mond aus Beton. So sahen die Römer ihn schon, als ein Bollwerk im All, einen Wellenbrecher des Wandels auf Erden, gemacht aus dem härtesten Stoff, den sie selber erfanden. Im Golf von Neapel, in Sichtweite des Vesuvs haben Archäologen Proben entommen von diesem Musterbeton. Immerhin, es hat sich gezeigt, daß er aus widerstandsfähigerem Material war als jener der Bunkeranlagen am Atlantikwall und vor den Küsten Norwegens. So hält Geschichte auf ihre Weise die Stellung gegen die wiederkehrende lunare Drohkulisse. Der Mond ist nun die Antike, die wir immer schon auf Distanz hielten, weil sie uns jedes Gestern als mögliche Zukunft verheißt. So schwebt er über den Städten als Leuchtreklame, die aller Architektur die Krone aufsetzt. Er ist und er bleibt der große I-Punkt im Alphabet der Landschaften. Ansonsten aber läßt er uns kalt.

Er gehört nicht mehr zu den Himmelskörpern erster Ordnung, für die Regierungen alles stehen- und liegenlassen. Im Moment schlagen die für das Mondprogramm zuständigen Ingenieure sich mit technischen Problemen herum. Ja, es wird neue Raketen geben, die Schwerlasttransporter und Landekapseln nach oben tragen, aber es ist nicht mehr die vorderste Front, an der da gekämpft wird, die in Kriegszeiten die Avantgarde mobilisiert. Im nächsten Kapitel geht es um die Organisation des Privatreiseverkehrs Richtung Mond. Der stumme Begleiter der Erde wird zum Touristenziel zahlungskräftiger Freizeitabenteurer, die sich den spartanischen Luxus einer Blitztour mit der Mondfähre »Jules Verne« Millionen kosten lassen.

## 9

Den Betroffenen des globalen Geschehens dagegen, den vielen auf diesem irdischen Ameisenhaufen, ist der Mond nun gleich fern, gleich nah und im Grunde ganz gleichgültig. Sie haben gelernt, ihn auszuknipsen wie eine Nachttischlampe. Ihre abendlichen Raucherpausen am offenen Fenster fallen in die Zeiten des allgemeinen Relativismus. Teilt etwa der Mond das Schicksal der Metaphysik, deren Verflüchtigung im Lehrbetrieb die letzten Altphilosophen beklagen? Und was ist in den Anthologien moderner Dichtung aus ihm geworden?

Dichtung, sagt ein Philosoph, reflektiert den Gebrauch der Sprache, als wäre auch sie nur ein Material unter anderen, das man in der Welt vorfindet. Nicht auf die Denotationen der Worte stützt sie sich, sondern auf ihre Konnotationen, den jeweils gültigen Begriffsinhalt, meint ein anderer. Worauf die Dichter erwidern: Vielleicht geht es ja um die flüchtige Teilbarkeit der Worte. Sie gleichen den Atomkernen, die von Bedeutungsteilchen umkreist werden, und nie lassen Ort und Impuls, Ausdrucksposition und Gefühlsanlaß, sich punktgenau und augenblicksdeckungsgleich bestimmen. Dichtersprache ist sich der Relativität der Wortbedeutungen bewußt, das eben macht sie aus. Sie ist, mißtrauisch gegen die uralte Ladung der Worte, immerfort in semantischer Schwingung, unterwegs zwischen den zeitgemäßen Bedeutungen, die erst im Abstand sich zeigen.

Dichtung träumt davon, das Wort in den Felsen im Meer zu verwandeln, den die Gedanken wie Wellen umspielen und umspülen. Der tägliche Gebrauch der Worte ist für sie, was für jenen das Wasser ist – eine Naturgegebenheit, mit der Form, Farbe und Lichtverhältnisse wechseln.

Ein Wort wie Mond zum Beispiel ergibt keinen absoluten, endgültigen Sinn. Es hält sich nur vorübergehend mit Zuschreibungen auf – vielmehr, es hält sie hin. Was ein Wort *meint* im Sinne des Lexikons, läßt es schnell hinter sich und steuert auf seine stürmischen Möglichkeiten zu, die Fülle seiner Nebenaspekte, die Gefühle, Geschichte und der Vorrat an Gemeinsinn bei seiner Nennung erwecken.

Wie Konnotationen funktionieren, wird schon in frühen Almanachen und Erbauungsbüchern am liebsten anhand des Mondes illustriert. Der Kronzeuge hierfür ist Matthias Claudius. Von ihm stammt das eingängigste aller deutschen Mondgedichte, ein Ohrwurm für Generationen, das »Abendlied«. Es ist der seltene Fall einer Predigt, die noch immer, über die böse Diagnose Nietzsches vom Sterben des Christentums hinaus, funktioniert. Sie demonstriert die Verwandlung von Mond in Moral – und die Moral ist selbstverständlich eine pastorale. Einsamkeit, Trauer, Verwaistsein sind schon dem Kind begreiflich, auch ohne Worte. Es genügt, wenn der Eisbär im Lesebuch auf seiner polaren Scholle verlassen hinaufäugt zum Mond, instinktiv wird die Konstellation erfaßt. Bei Claudius wird aus der anthropologischen Verlassenheit ein Herzenslied, das die stille Kammer mit den goldenen Sternlein und diese mit des Tages Jammer, dem Wunsch nach einem ruhigen Schlaf und dem Gedanken an den kranken Nachbarn verbindet. In der Weise wird Gott, in schöner pietistischer Ungezwungenheit, in die Versordnung geholt. Der Mond aber spielt die Rolle des Mediators, der als letzter Schlichter auftritt, bei allen irdischen Konflikten wie im Kampf der Einzelseele gegen sich selbst.

10

Den Astronomen dagegen genügt das Gleichheitszeichen, das lexikalisch definierte und berechenbare Gestirn, mit dem der Trabant gemeint ist, der manche Nacht auf Erden erhellt, indem er zuverlässig das Sonnenlicht reflektiert. Die Dichter aller Zeiten setzen auf den Blütenstaub, von dem das Wort getrübt ist wie von seinem eigenen Schein: »Nacht, Romantik, Liebesweh, Melancholie, Symbolismus, Pierrot Lunaire usw.« Aber auch »Ödnis, tote Materie, Kraterlandschaft, Klimahölle, Atommülldeponie«. Den Brüdern Grimm zufolge fand das Wort erst im siebzehnten Jahrhundert zu seiner heute gültigen deutschen Form. Aus *mon* wurde *Mond*. Der weiche Endkonsonant fing auf und federte ab, was die längste Zeit auf drei Buchstaben vor sich hin rotierte. Noch Martin Luther sprach, wie nach ihm die meisten Barockdichter, vom *mon*. »Desz tags bist mir ein helle son, / desz nachts ein klarscheinender mon«, heißt es bei Paul Melissus, einem Humanisten, den Martin Opitz in seiner Verslehre als Übersetzer aus dem Lateinischen anführt. So ließen sich, vor der reformatorischen Sprachregelung, Sonne und Mond jederzeit reimen. Silbenverwandt zogen sie lange als ungleiches Paar durch Lied und Gedicht. Selten stand das Wort Mond still, nie erlangte es seine allerletzte Bestimmung. Immer kam noch ein neuer Betrachter hinzu, der aus dem absurden Abstand zwischen ihm und dem Objekt am Nachthimmel einen Funken kindlicher Unmittelbarkeit schlug. Selbst die Gewöhnung brachte noch manche Überraschung zum Vorschein. Keiner kann sagen, er hätte den Mond ausbuchstabiert, auch wenn er eines Tages der Abbilder überdrüssig wurde, nun, da der Himmel geerdet schien und der Globus langsam vermondete. Daß es Zeiten gab, da selbst die Astronomen noch träumten, kann man bei Johannes Kepler nachlesen. »Denn der Mond singt sein einstimmig Lied vor sich hin, allein, von den andern getrennt und immer dicht bei der Erde«, heißt es in seinem Traktat »Harmonice mundi«.

11

Einmal noch bin ich zurückgekehrt auf die Freilichtbühne des Flugfeldes von Tempelhof. Das Gelände lag nun wieder verwaist, die letzten Investoren hielten sich im Hintergrund, leere Lagerhallen und Hangars, wohin das Auge sah. Mit einem gewissen Schaudern vor diesem Denkmal nationalsozialistischer Architektur, und weil so viele Erinnerungen an Abflüge und Ankünfte an dem Ort hingen, streunte ich um die kalten Fassaden mit den Reichsadlern und den hohen Travertin-Fensterrahmen. Mittlerweile hatte sich Berlin in ein neues Verkehrsunternehmen gestürzt: den Großflughafen im Süden der Stadt, mit dem ein neues Zeitalter der Massenabfertigung beginnen wird. Flughäfen sind das Portal jeder Metropole, die etwas auf sich hält. Sie sind die Raumfahrtterminale des urbanisierten Menschen. Die Maschinen, die von dort starten, könnten ebensogut zum Mond aufbrechen, statt die Reisenden nach Brüssel oder Neapel zu bringen. In die Sitze zurückgelehnt, darf jeder nach Herzenslust von interstellaren Fernflügen träumen.

Den modernen Spaßvogel im Mond, den ersten PR-Agenten in lunarer Mission, trugen noch Wildschwäne von der Insel St. Helena himmelwärts, in einem luftigen Holzgestell, über die Takelagen der Koggen und Caravellen hinaus, die sich damals im Schneckentempo über die Meere wälzten. Dagegen schwebte der findige Cyrano, einer der ersten Piloten im Raum der Buchphantasien, als sein eigener Ballon hinauf, während die Füße im Schrittempo weiterpendelten wie die eines Müßiggängers auf den Parkwegen um Schloß Fontainebleau. Es war, als sei er eben zu einem Verdauungsspaziergang aufgebrochen. Nach ihm machten sich andere Luftikusse auf, doch nunmehr real – in Flugapparaten, konstruiert

aus Vogelfedern und Leinwand, Schiffssegeln und Leicht-
metalltragflächen. Einer seiner modernen Nachfahren
war Otto Lilienthal, der preußische Patentejäger, der es
als Unternehmer zu Geld gebracht hatte. Seine Expe-
rimente als Flugmensch mit maximalem Körpereinsatz
sind allgemein bekannt. Nachdem Leonardo da Vinci
beim Vogelflug Anleihe genommen hatte für die anato-
mischen Adaptionen auf den berühmten Skizzenblättern
und nachdem ein Spanier namens Domingo Gonsales,
Cyranos Vorgänger als *Der Mann im Mond*, Vögel als Zug-
tiere für den Transport ins All abgerichtet hatte, war
Lilienthal der erste, der ernst machte mit der realen Verwandlung eines Menschen in einen Vogel.
Von einem Berliner Hügel bei Spandau nahm er Anlauf,
stieß sich vom Boden der zukünftigen Hauptstadt aller
Faulenzer und Freizeitkapitäne ab, absolvierte den ersten
Gleitflug – und kam doch nicht weit. Nach hundert Me-
tern landete er in einer Sandgrube. Bei einem weiteren
Versuch draußen im märkischen Umland brach er sich
das Genick. Auch er war ein Reisender auf den Schwingen der Transzendenz. Wie Cyrano und so viele Dichter
vor und nach diesem gehörte er zu den glücklosen So-
lotänzern technischer Träumerei. Wenige Jahre nach seinem Tod brach das Zeitalter des professionellen Flugwe-
sens an. In kürzester Zeit war kein Halten mehr, und
die Strahltriebwerke, die Überschallflieger und Raketen
überboten den frühen Rekord. Bis dahin hatte die Vor-
stellungskraft genügt: Sie war der natürliche Antrieb,

Brennstoff der raumgreifenden Psyche, die von der Erde
abhob und wie immer nichts von sich wußte.

*Durs Grünbein, Berlin 2013*

# Verzeichnis der Gedichtanfänge

145

**Poincaré** 31

Und auch das war der Mond: ein kalter Koloß

**Sosigenes** 32

Am Toten Meer war sie am Nullpunkt, diese Erde

**Teisserenc** 33

Spur im Morast, erstmals lesbar. Wann war das?

**Copernicus** 34

Und Adam und Eva? Natürlich kam es vom Mond

**Fermi** 35

Es gab den Monat, *mensis – mani*, *mén* und *mon*

**Novalis** 36

Es war der weiße Glanz, ein Perlmuttschimmer

**Sasserides** 37

Licht, Licht: Was heißt es denn, zu empfangen

**Celsius** 38

Mond aus Beton – so sahen die Römer ihn schon

**Oenopides** 39

Nicht eine Kokosnuß treibt auf dem Humboldt-Meer

**Philolaos** 40

Optimist, woran mißt sich dein Optimum?

**Marius** 41

Was war die Frage, mit den Wünschen aufgespart

**Delambre** 42

Ob auch er sie gekannt hat, die Unverhüllte –

**Leibniz** 43

Schneewolken bargen ihn, wenn im Gebirge

**Zeno** 44

So vieles fuhr ihm durch den Kopf, synchron


**Rhaeticus** 47

Mond hält uns fest. Es gibt, wenn wir träumen

**Orontius** 48

Der *See des Schlafs* war so ein Ort. Kein Atlas

**Oresme** 49

Und einer sammelte die Stimmen in der Nacht

**Langrenus** 50

Im Traum herrscht Mondlicht, weiß der Philosoph

# Abbildungen

# Inhalt